Du même auteur
aux Éditions Albin Michel

Ils sont moches
Mon papa
La vie au grand air
La vie des bêtes
On vit une époque formidable
Vive les femmes
Vive les vacances
Phantasmes
Les Copines
Gros dégueulasse

© Reiser et Éditions Albin Michel, S.A.
22, rue Huyghens, 75014 Paris
ISBN 2-226-01371-7

Reiser

On vit une époque formidable !

L'Écho des Savanes - Albin Michel

OU METTRE LES ORDURES ?

LES RICHES...

QUAND LES RICHES MANGEAIENT DU POULET TOUS LES JOURS, C'ÉTAIT DU LUXE

QUAND LES PAUVRES MANGENT DU POULET TOUS LES JOURS, C'EST DÉGUEULASSE.

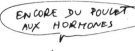

ENCORE DU POULET AUX HORMONES

ON NE TROUVE PLUS QUE ÇA

QUAND LES RICHES AVAIENT UNE AUTO, C'ÉTAIT UN ÉVÉNEMENT

QUAND LES PAUVRES ONT UNE AUTO, C'EST UNE CALAMITÉ.

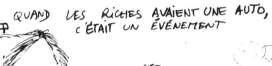

QUAND LES RICHES ALLAIENT AUX BAINS DE MER, C'ÉTAIT UNE CURIOSITÉ.

QUAND LES PAUVRES VONT AUX BAINS DE MER, C'EST UNE INVASION.

QUAND LES RICHES SE DROGUAIENT, C'ÉTAIT PITTORESQUE.

QUAND LES PAUVRES SE DROGUENT, C'EST UN FLÉAU NATIONAL

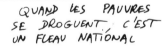

...ET LES PAUVRES

QUAND LES RICHES PRENNENT L'AVION, C'EST PRESTIGIEUX.

QUAND LES PAUVRES PRENNENT L'AVION, C'EST LA COHUE

QUAND LES RICHES FONT DU SKI, C'EST SUBLIME

QUAND LES PAUVRES FONT DU SKI, C'EST BASSEMENT COMMERCIAL.

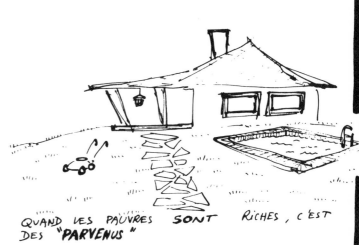

QUAND LES RICHES SONT RICHES, ILS ONT DE LA CLASSE

QUAND LES PAUVRES **SONT** RICHES, C'EST DES "PARVENUS"

MORALITÉ :

FAUT MUSELER TOUS LES PAUVRES...

...POUR QU'ILS NE NOUS COPIENT PLUS.

FAUT TUER TOUS LES RICHES, COMME ÇA, ON N'AURA PLUS ENVIE DE LES COPIER.

AUX DERNIÈRES NOUVELLES ON EN EST TOUJOURS LÀ.

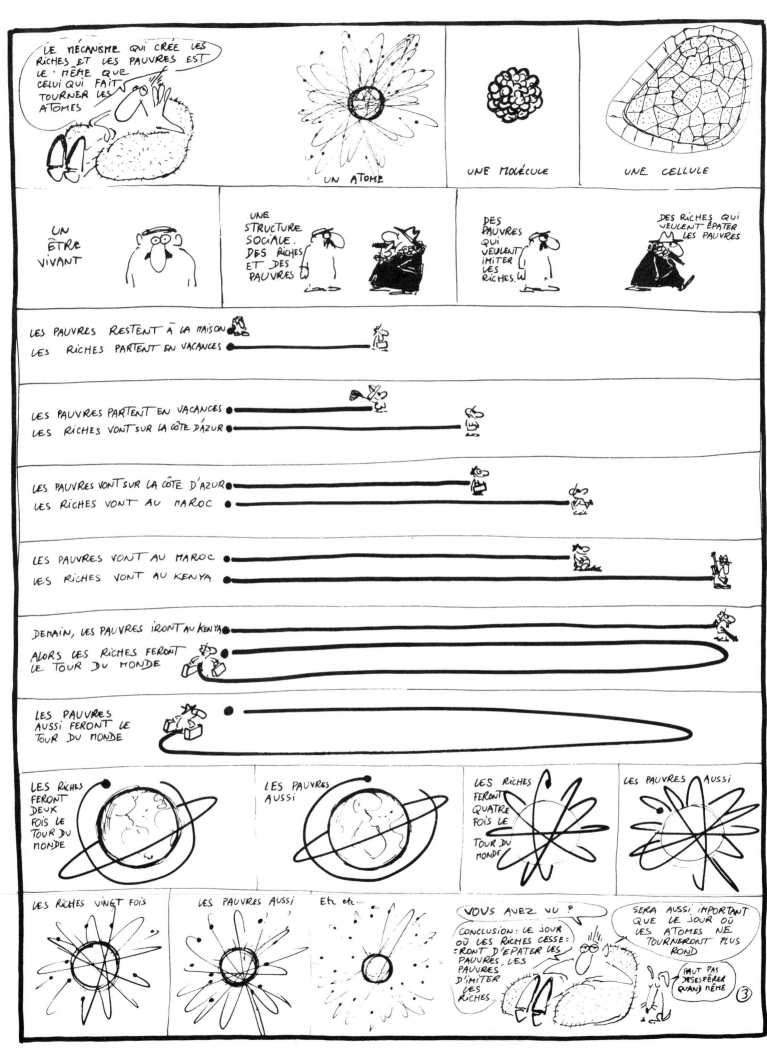

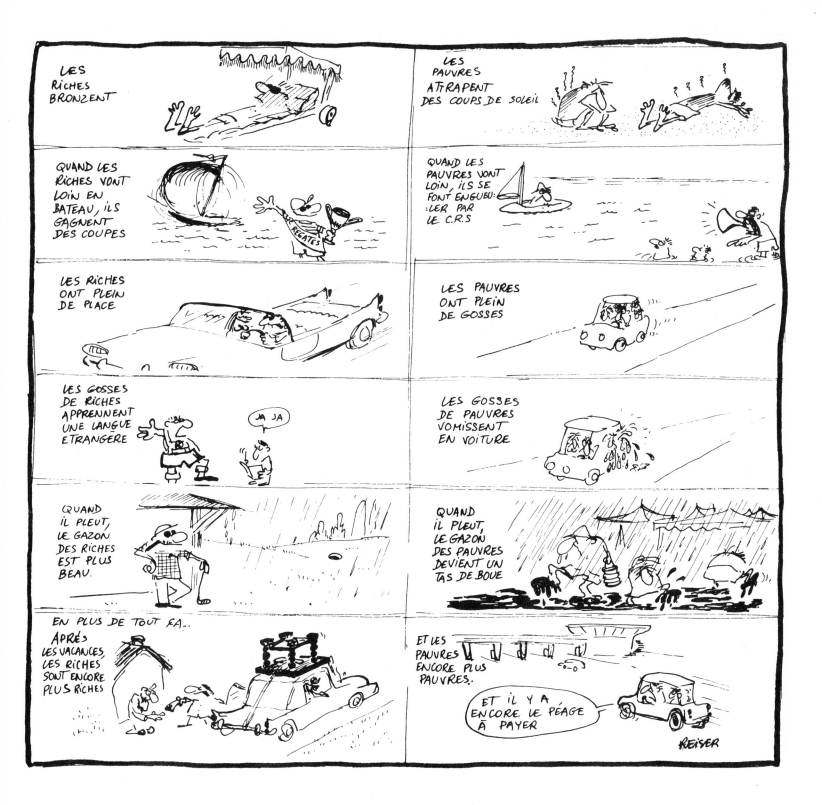

LETTRE QUI A ÉTÉ LUE AU SYNODE.

cher Paul 6

Mon église est vide, mes enfants de chœur sont pédés, mon bedeau est communiste, ma femme m'a quitté, mes cierges sont rances, les corneilles du clocher ont la myxomatose, puis-je me flinguer ?

LES CURÉS VONT MANQUER...

FAITES DES STOCKS !

RESULTAT DU SYNODE : LES CONS N'IRONT PLUS AU CIEL

PAUVRES TYPES !

SAUVÉS !

LE PAPE INVENTE LE MOTEUR À EAU BÉNITE

TEUF TEUF

PSCHIII

TCHOUFF TCHOUF

43% DE FRÉQUENTATION EN MOINS DANS LES ÉGLISES

OFFICIEL :
IMPÔT SUR LES BECS
DE LIÈVRE

F'EST INVUFTE !

IMPÔT SUR
LES DENTIERS

JE
PASSE
À TRAVERS

IMPÔT SUR TOUT
CE QUI DÉPASSE

FAUT QUE J'AILLE
CHEZ LE COIFFEUR

14

16

EXISTE-T-IL DE BONS POLICIERS ?

SUITE →

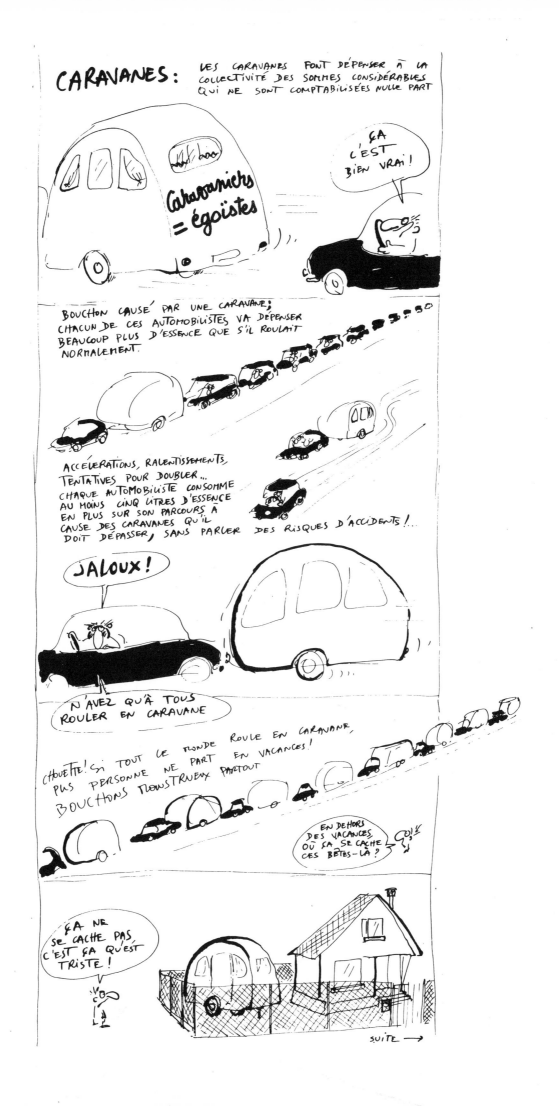

SUITE →

MOULES = CHIASSE PELADE VÉROLE

> S'IL FALLAIT CROIRE TOUT CE QU'IL Y A D'ÉCRIT DANS LES JOURNAUX...

LE SCANDALE DES CONGÉS PAYÉS

> SINCÈREMENT, JE LES AI PAS MÉRITÉS

> TU VEUX QUE JE RACONTE UNE BELLE HISTOIRE ?
>
> OUAIS

> C'EST UNE FOIS, UN OGRE

> JE T'ARRÊTE TOUT DE SUITE, C'EST DU BARATIN !

> RÉFLÉCHIS UN INSTANT ! T'AS ENTENDU PARLER DE PLUTONIUM ?
>
> BEN

> ALORS SUIS-MOI, LE PLUTONIUM EST CONCENTRÉ DANS LE PLANCTON.

> LE PLANCTON EST CONSOMMÉ PAR DES PETITS POISSONS, 2e CONCENTRATION

> LES PETITS POISSONS SONT MANGÉS PAR DES PLUS GROS, PUIS LES PLUS GROS PAR LES THONS !

> ON EN EST À LA 4e CONCENTRATION !

> MOI QUI MANGE LE THON, J'ENTAME LA 5e CONCENTRATION !

> SI UN OGRE ESSAIE DE ME CROQUER, TERMINÉ

29

LES RATS FORNIQUENT
AVEC LES POISSONS CREVÉS

LE PÉDALO À
6 FRANCS LA DEMI-HEURE

LA FRANCE A SOIF

SÉCHERESSE :
LES MARCHANDS DE
PARAPLUIES BARRENT
LES ROUTES

NON À LA VIE CHÈRE ... TOUT À 1000 BALLES !

QUÊTE POUR LES HANDICAPÉS PHYSIQUES

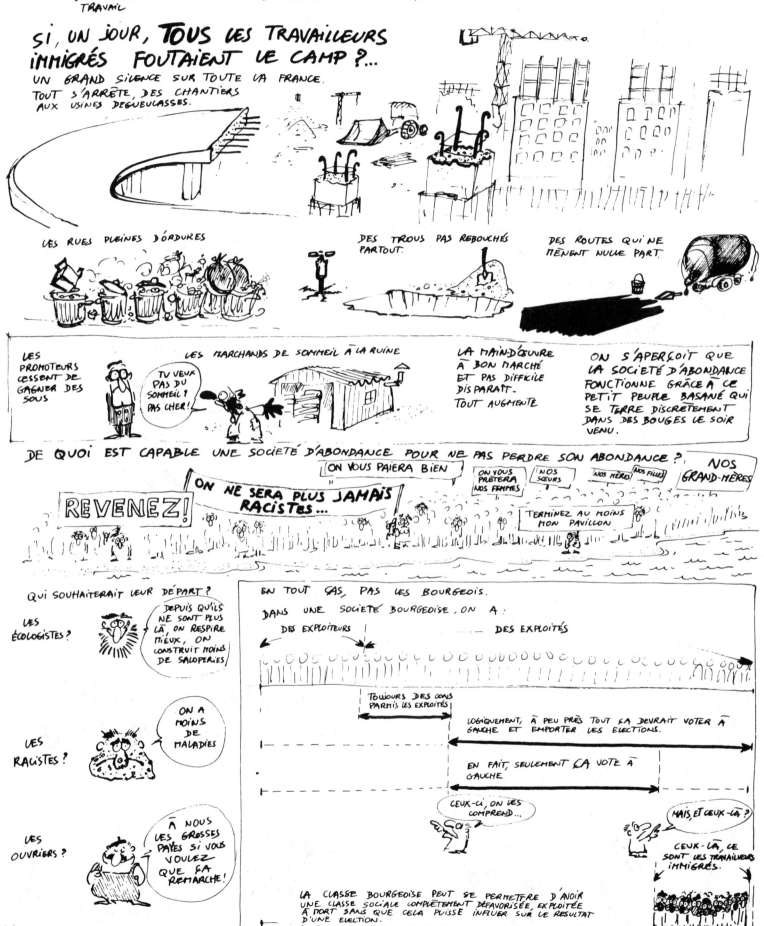

GRÈVES DE LA FAIM POUR OBTENIR DES CARTES DE TRAVAIL

GRÈVES DES LOYERS DANS LES DORTOIRS

GRÈVE DES O.S CHEZ RENAULT

LES TRAVAILLEURS IMMIGRÉS DE PLUS EN PLUS MÉCONTENTS

SI, UN JOUR, **TOUS** LES TRAVAILLEURS IMMIGRÉS FOUTAIENT LE CAMP ?...

UN GRAND SILENCE SUR TOUTE LA FRANCE. TOUT S'ARRÊTE, DES CHANTIERS AUX USINES DÉGUEULASSES.

LES RUES PLEINES D'ORDURES

DES TROUS PAS REBOUCHÉS PARTOUT.

DES ROUTES QUI NE MÈNENT NULLE PART

LES PROMOTEURS CESSENT DE GAGNER DES SOUS

TU VEUX PAS DU SOMMEIL ? PAS CHER !

LES MARCHANDS DE SOMMEIL À LA RUINE

LA MAIN-D'ŒUVRE À BON MARCHÉ ET PAS DIFFICILE DISPARAÎT. TOUT AUGMENTE

ON S'APERÇOIT QUE LA SOCIÉTÉ D'ABONDANCE FONCTIONNE GRÂCE À CE PETIT PEUPLE BASANÉ QUI SE TERRE DISCRÈTEMENT DANS DES BOUGES LE SOIR VENU.

DE QUOI EST CAPABLE UNE SOCIÉTÉ D'ABONDANCE POUR NE PAS PERDRE SON ABONDANCE ?

REVENEZ !

ON NE SERA PLUS JAMAIS RACISTES...

ON VOUS PAIERA BIEN

ON VOUS PRÊTERA NOS FEMMES

NOS SŒURS

NOS MÈRES

NOS FILLES

NOS GRAND-MÈRES

TERMINEZ AU MOINS MON PAVILLON

QUI SOUHAITERAIT LEUR DÉPART ?

LES ÉCOLOGISTES ?

DEPUIS QU'ILS NE SONT PLUS LÀ, ON RESPIRE MIEUX, ON CONSTRUIT MOINS DE SALOPERIES

LES RACISTES ?

ON A MOINS DE MALADIES

LES OUVRIERS ?

À NOUS LES GROSSES PAYES SI VOUS VOULEZ QUE ÇA REMARCHE !

EN TOUT CAS, PAS LES BOURGEOIS.

DANS UNE SOCIÉTÉ BOURGEOISE, ON A :

DES EXPLOITEURS

DES EXPLOITÉS

TOUJOURS DES CONS PARMI LES EXPLOITÉS

LOGIQUEMENT, À PEU PRÈS TOUT ÇA DEVRAIT VOTER À GAUCHE ET EMPORTER LES ÉLECTIONS.

EN FAIT, SEULEMENT ÇA VOTE À GAUCHE

CEUX-CI, ON LES COMPREND...

MAIS, ET CEUX-LÀ ?

CEUX-LÀ, CE SONT LES TRAVAILLEURS IMMIGRÉS.

LA CLASSE BOURGEOISE PEUT SE PERMETTRE D'AVOIR UNE CLASSE SOCIALE COMPLÈTEMENT DÉFAVORISÉE, EXPLOITÉE À MORT SANS QUE CELA PUISSE INFLUER SUR LE RÉSULTAT D'UNE ÉLECTION.

Reiser

MESURES SUR L'IMMIGRATION

FAUT IMPORTER PLUS DE FEMMES !

IMMIGRATION :

IL FAUT NETTOYER LA FRANCE !

QUI ENGRAISSE LES CHÔMEURS ?

LES FUTURS CHÔMEURS

SPÉCIAL TIERCÉ
INFLATION GALOPE PLUS VITE QUE **SALAIRE**

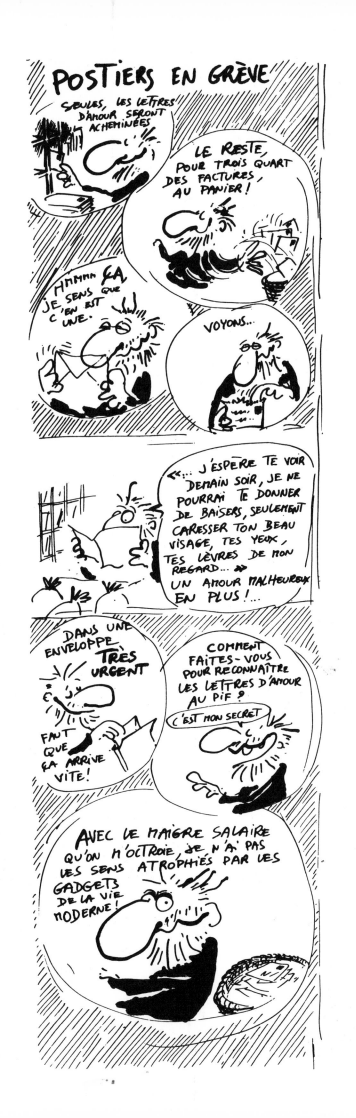

LE PRINTEMPS SERA CHAUD

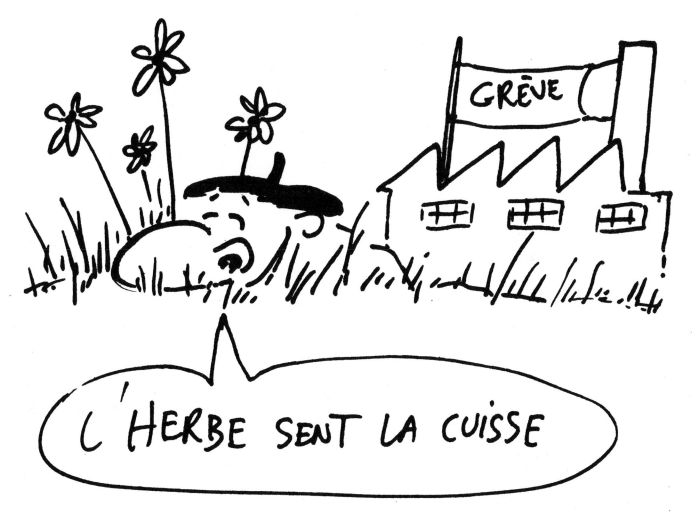

LES PETITS ÉPARGNANTS PERPLEXES

44

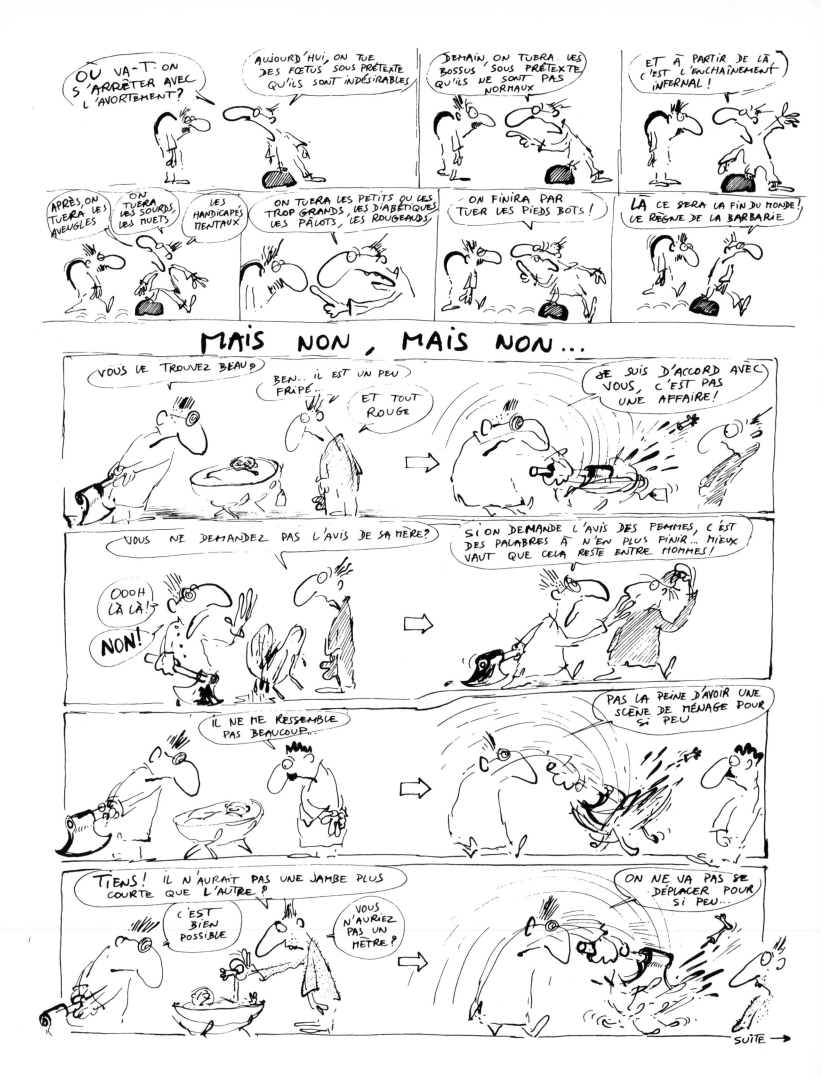

TRAVAILLEZ PLUS
GAGNEZ MOINS

HALTE À L'IMPORTATION DES BŒUFS ÉTRANGERS

ON VENAIT POUR LE CARNAVAL

Y'A DEUX CHOSES DRÔLES DANS LA VIE

LES CLOWNS AVEC DES CHAUSSURES TROP GRANDES

ET LES POMPIERS AVEC DES ÉCHELLES TROP PETITES

T'EN FAIS PAS, VAUT MIEUX UNE PETITE ET COURAGEUSE QU'UNE GRANDE ET PARESSEUSE

PÉNURIE

PÉNURIE:
APPRENONS À MOINS USER NOS CHAUSSURES

LA VIE EST CHÈRE

MESURES SOCIALES:
DU RAT AU POT TOUS LES DIMANCHES

LES FRANÇAIS ONT FAIT LEUR CHOIX

SERVICE MILITAIRE À DIX ANS !

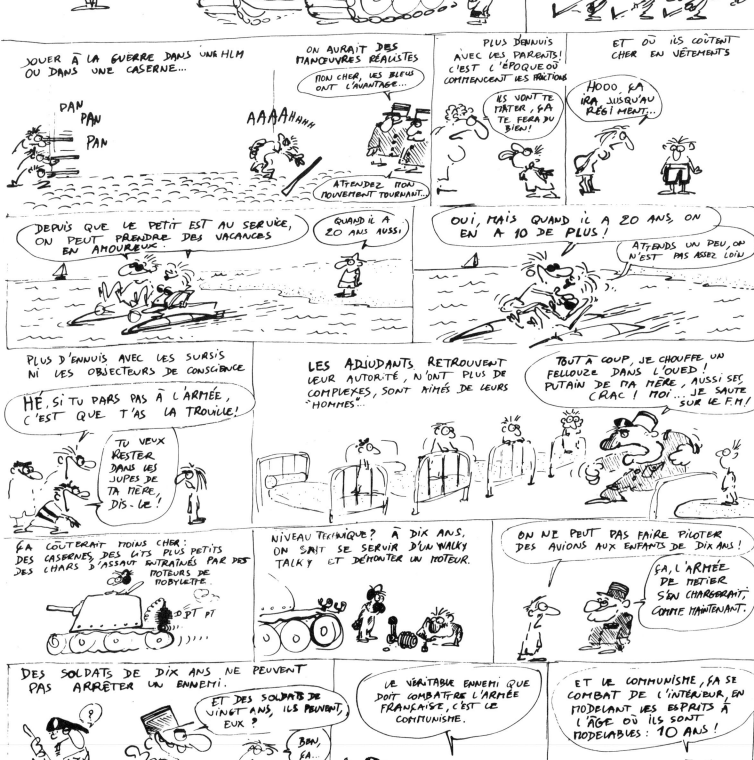

VIET-NAM
APRÈS LA GUERRE...

CIMETIÈRE AMÉRICAIN

REISER

ENCORE UNE
COMPAGNIE QUI
ACHÈTE CONCORDE

CRISE DE L'AVIATION

CONCORDE: ON VA RAJOUTER DES RESERVOIRS SUPPLEMENTAIRES

OÙ ?

SUR LES SIÈGES ?

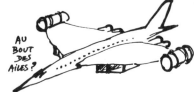

AU BOUT DES AILES ?

SUR LA TÊTE ?

C'EST PAS AVEC DES TRUCS COMME ÇA QU'ON LE VENDRA OU PAS

SUITE →

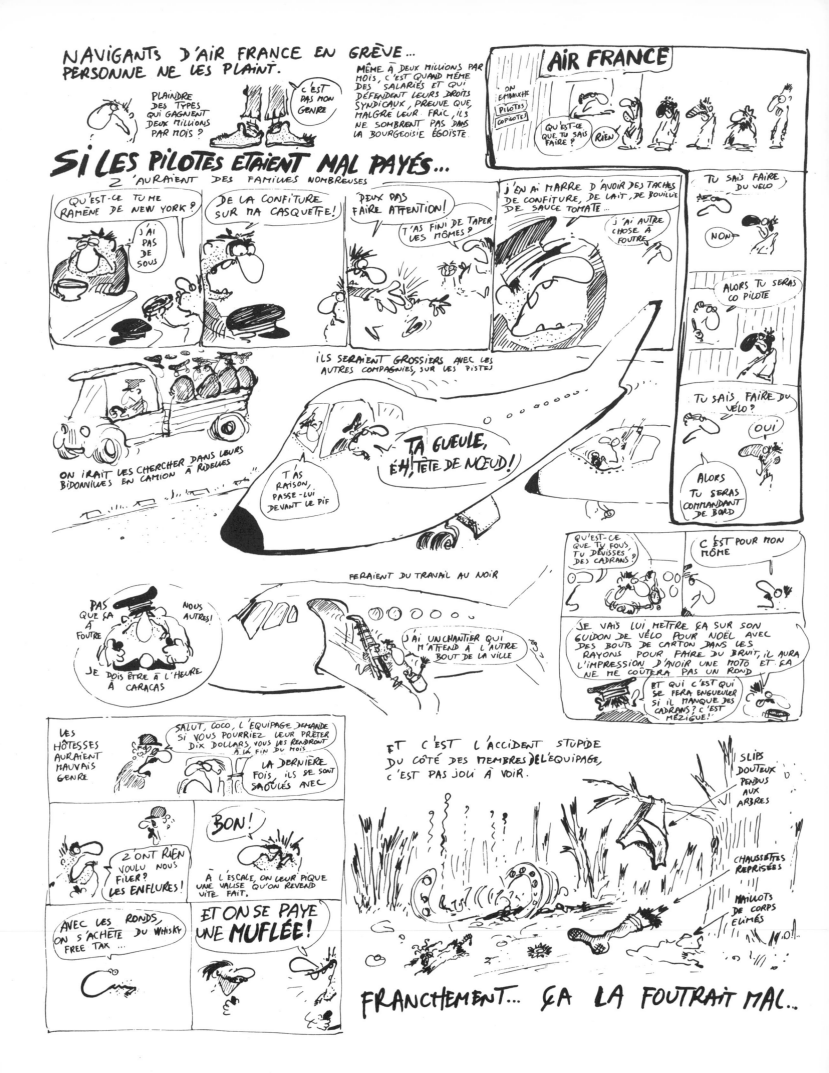

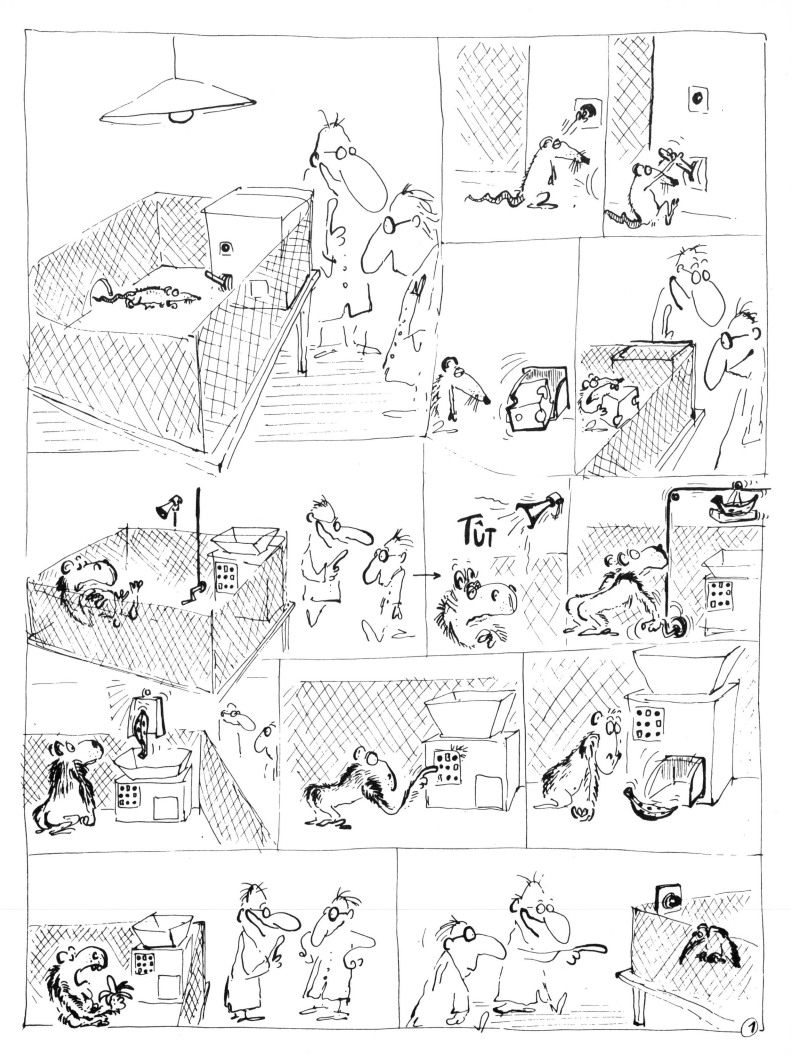

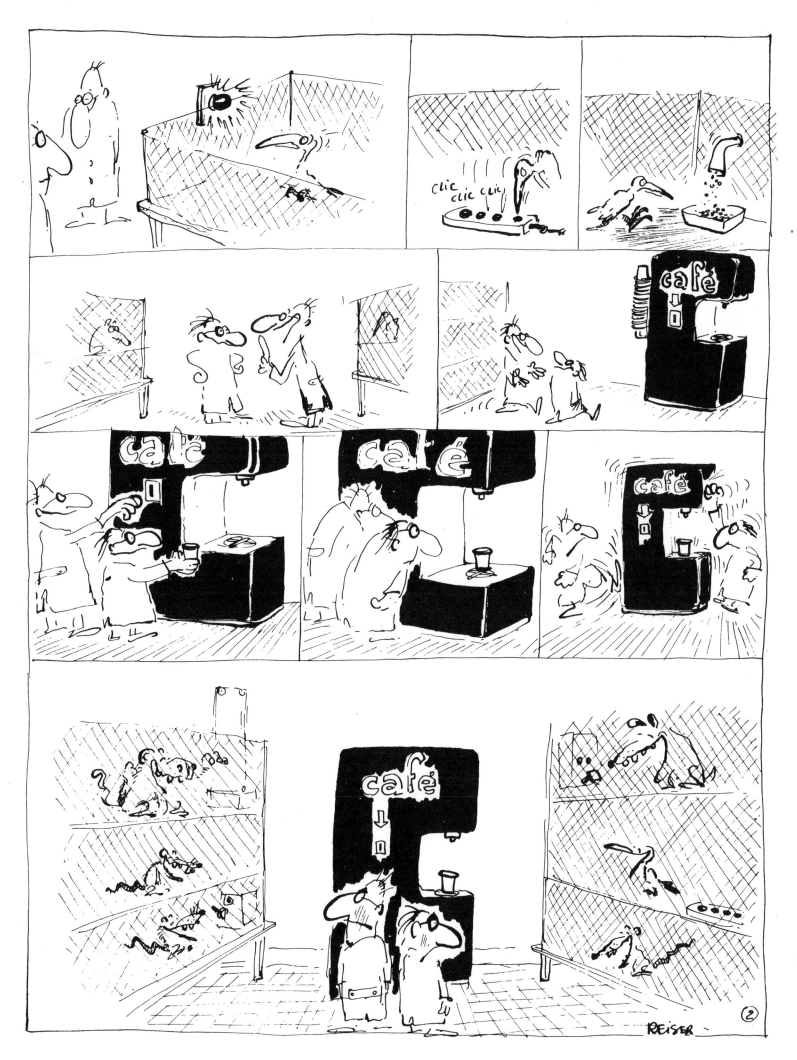

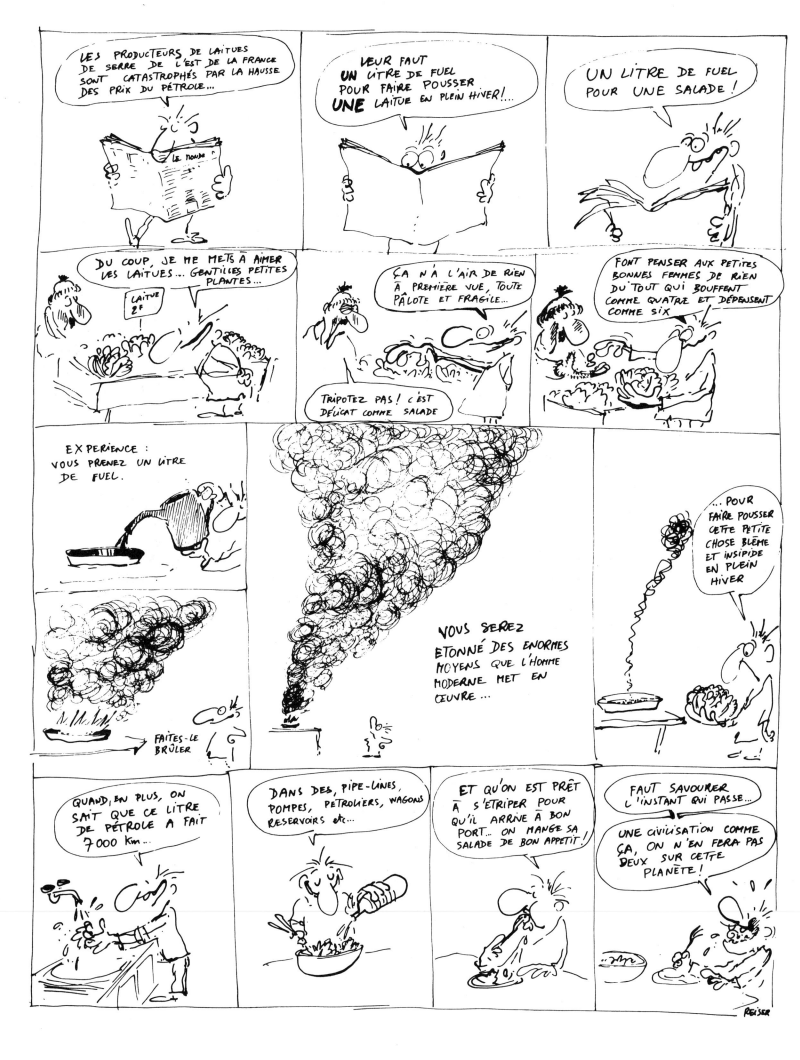

NOËL

PENSEZ À CEUX QUI ONT FAIM !

NOUVELLE TÉLÉ

UN FRANÇAIS SUR DEUX SATISFAIT

J'AI REGARDÉ LA MESSE DE MINUIT À LA TÉLÉ

NOËL :